Junie B. Jones

Le monstre invisible

As-tu lu les autres livres de la collection Junie B. Jones de Barbara Park?

Amoureuse
Bavarde comme une pie
Capitaine d'équipe
Fermière pas ordinaire
Fouineuse-ratoureuse
Junie B. Jones adore les mariages
Junie B. Jones brise tout
Junie B. Jones et le gâteau hyper dégueu
Junie B. Jones et le valentin à froufrous
Junie B. Jones et son p'tit ouistiti
Junie B. Jones n'est pas une voleuse
L'affreuse coiffeuse
La fête de Jim-la-peste
Le monstre invisible
Pas folle de l'école
Poisson du jour
Premier diplôme

Junie B. en 1re année

Enfin!
Reine de la cafétéria
Tricheuse-copieuse
Vendeuse de dents
Aloha ha! ha!
Junie B. fait le clown
On l'appelait Nez rouge
(Ah! Comme elle pue, Marion!)
Bon à rien de lapin!
Star de la fanfare
Junie B. coule à pic

Junie B. Jones

Le monstre invisible

Barbara Park
Illustrations de Denise Brunkus

Traduction d'Isabelle Allard

Catalogage avant publication de Bibliothèque et Archives Canada

Park, Barbara
Le monstre invisible / Barbara Park;
illustrations de Denise Brunkus;
texte français d'Isabelle Allard.

(Junie B. Jones)
Traduction de : Junie B. Jones Has a Monster Under Her Bed.
Pour les 7-10 ans.

ISBN-13 978-0-439-94161-7
ISBN-10 0-439-94161-X

I. Brunkus, Denise II. Allard, Isabelle III. Titre.
IV. Collection : Park, Barbara Junie B. Jones.

PZ23.P363Mo 2006 j813'.54 C2006-902020-5

Édition publiée par les Éditions Scholastic,
604, rue King Ouest, Toronto (Ontario) M5V 1E1.

7 6 5 4 3 Imprimé au Canada 116 10 11 12 13 14

Table des matières

1. Le monsieur kiwi 1
2. Ça n'existe pas! 12
3. Un monstre invisible 20
4. La noirceur qui fait peur 28
5. La pire nuit de ma vie 41
6. Raplapla 50
7. Grognements et reniflements 57
8. Face de monstre 65

1/ Le monsieur kiwi

Je m'appelle Junie B. Jones. Le B, c'est la première lettre de Béatrice. Je n'aime pas ce prénom-là, mais le B tout seul, j'aime bien ça!

Je vais à l'école maternelle l'après-midi.

Aujourd'hui, on a fait des photos d'école.

Des photos d'école, c'est quand on met notre plus belle robe et qu'on va à la cafétéria voir le monsieur kiwi.

Il nous demande de dire « kiwi ». Je ne sais pas pourquoi. Après, il prend des photos de nous. Et notre mère doit les acheter parce que, sinon, nous aurons de la peine.

Les photos d'école sont une *excrocrie*, je trouve.

Pour les photos, je portais ma nouvelle robe avec un dinosaure dessus.

— C'est un beau dinosaure, a dit le monsieur kiwi.

J'ai lissé ma robe pour la rendre plus belle.

— Oui, ai-je dit. C'est un Tyrannosaurus Roxane.

— Tu veux dire Tyrannosaurus *Rex*, a dit le monsieur.

— Non. Je veux dire Tyrannosaurus Roxane. Parce que Rex, c'est un garçon, et que Roxane, c'est une fille, ai-je expliqué.

Le monsieur kiwi est resté là, sans bouger, derrière son appareil photo.

— Dis *kiwi*, a-t-il fini par dire.

— Ouais, sauf que vous savez quoi? Je ne sais pas vraiment pourquoi je dois dire ce mot. Qu'est-ce que les kiwis ont à voir avec les photos?

— Ça fait sourire, a expliqué le monsieur kiwi.

J'ai secoué la tête.

— Pas *moi*. Les kiwis ne me font pas sourire, ai-je dit. Parce que des fois, j'en mange pour le dîner. Et je ne ris pas quand je les avale.

Le monsieur kiwi a respiré très fort.

— S'il te plaît, pourrais-tu juste le dire? a-t-il demandé.

— Oui, ai-je répondu. Je pourrais juste le dire. Seulement, n'oubliez pas de me dire quand vous serez prêt. Parce qu'une fois, mon papi Frank Miller prenait ma photo. Et il ne m'a pas dit quand il était prêt. Alors, un de mes yeux était ouvert et l'autre était fermé sur la photo.

J'ai fermé un œil pour lui montrer.

— Vous voyez? Vous voyez mes yeux? Celui-ci est ouvert et l'autre est...

Tout à coup, le monsieur kiwi a pris ma photo.

Ma bouche s'est ouverte toute grande.

— HÉ! POURQUOI VOUS AVEZ FAIT ÇA? POURQUOI VOUS AVEZ PRIS MA PHOTO? JE N'ÉTAIS MÊME PAS ENCORE PRÊTE!

Le monsieur kiwi a continué de faire clic avec son appareil.

Après, il a regardé le prochain enfant dans la file.

— Suivant! a-t-il dit.

J’ai tapé du pied par terre.

— Ouais, sauf que je n’étais pas prête, je vous ai dit! Alors, j’ai besoin d’un autre tour!

Mon enseignante est arrivée et elle m’a emmenée avec elle.

Elle m’a assise à côté d’elle sur un banc.

Elle s’appelle Madame. Elle a un autre nom, mais je ne m’en souviens jamais. Et puis, j’aime bien dire Madame tout court.

Madame m’a dit de me calmer. Elle et moi, on a regardé les autres enfants poser pour leur photo.

C’était le tour de ma *plus meilleure* amie. Elle s’appelle Lucille.

Elle avait un ruban de satin bleu dans les cheveux.

— Ma grand-mère dit que ce ruban fait ressortir le bleu de mes yeux, a-t-elle dit au monsieur kiwi.

Elle a ouvert ses yeux très grands.

— Vous voyez leur couleur? Ils sont bleus comme un œuf de rouge-gorge... avec un soupçon de lavande.

Le monsieur kiwi a aspiré ses joues. Il commençait à être *fustré*, je pense.

— Pourrais-tu, s'il te plaît, dire *kiwi*? a-t-il dit d'un air fâché.

Lucille lui a fait un grand sourire avec toutes ses dents.

— Kiwi! a-t-elle chantonné. Kiwi! Kiwi! Kiwi, kiwi, kiwi!

Elle a continué de répéter *kiwi* jusqu'à ce que le monsieur kiwi lui dise :

— Ça suffit!

Après sa photo, Lucille a sautillé jusqu'à Madame et moi.

— M'avez-vous vue? a-t-elle demandé. Avez-vous vu comment j'ai bien dit kiwi? C'est parce que je vais être mannequin

quand je serai grande. Alors, je sais déjà comment faire.

Elle a fait gonfler ses cheveux gonflés.

— Je suis *photogélique*, a-t-elle dit.

Madame a levé les yeux vers le plafond. J'ai regardé le plafond, moi aussi. Mais je n'ai rien vu.

Après, c'était le moment de la photo de classe.

La photo de classe, c'est quand toute la classe numéro neuf se place sur deux rangées. Les grands enfants se tiennent debout à l'arrière. Les plus petits sont debout devant.

Je suis avec les petits. Sauf qu'il n'y a pas de honte à ça.

J'étais à côté de Paulie Allen Puffer.

Il a admiré ma robe avec un dinosaure.

— Les dinosaures arrachent la tête des gens, a-t-il dit.

J'ai froncé les sourcils.

— Ouais, sauf qu'ils ne me font même pas peur. Parce que les dinosaures, ça n'existe plus, lui ai-je dit.

— Et alors? a dit Paulie Allen Puffer. Il y a quand même des monstres qui peuvent t'arracher la tête! Je parie qu'il y a un monstre qui vit sous ton lit. Mon grand frère dit que *tout* le monde a un monstre sous son lit.

Il a pointé son doigt vers moi.

— Même toi, Junie B. Jones, a-t-il dit.

J'ai eu des frissons sur les bras.

— Non, pas moi, Paulie Allen Puffer, ai-je protesté.

— Oui, toi aussi, a-t-il insisté. Mon frère est en 7e année. Il dit que le monstre attend que tu t'endormes. Après, il se glisse à côté de toi et se couche sur ton oreiller. Et il s'exerce à mettre ta tête dans sa bouche.

Je me suis bouché les oreilles. Mais Paulie Allen Puffer a parlé plus fort :

— Je peux même le *prouver*. Est-ce que

ça t'est déjà arrivé de trouver une tache de bave sur ton oreiller en te réveillant?

J'ai *fléréchi* très fort.

— Oui, et après?

— D'où penses-tu que ça venait? a-t-il demandé. Ça venait du monstre sous ton lit, voilà! C'était de la bave de *monstre*, Junie B. Jones.

J'ai secoué ma tête très vite.

— Non, ce n'est pas vrai, Paulie Allen Puffer! Arrête de dire ça! Je suis sérieuse!

Il a levé ses sourcils.

— Eh bien, qu'est-ce que c'était, alors? Ce n'est pas toi qui baves sur ton oreiller, n'est-ce pas? Tu n'es pas un bébé, hein?

— Non! Je ne suis pas un bébé! ai-je crié.

Paulie Allen Puffer a croisé les bras.

— D'où venait la bave, alors?

— Je ne sais pas, ai-je répondu. Mais

mon papa m'a dit que les monstres, ça n'existe pas.

— Et alors? Les papas sont *obligés* de dire ça, a répliqué Paulie Allen Puffer. Pour qu'on s'endorme le soir et qu'on ne les dérange pas.

Il a plissé ses yeux.

— Pourquoi penses-tu que les papas et les mamans dorment ensemble dans la même chambre, de toute façon? C'est pour se *protéger* du monstre. Sinon, ils se feraient peut-être manger la tête.

J'ai plissé mon nez en imaginant cette chose horrible. Puis j'ai sorti la langue et j'ai fait une grimace.

Et vous savez quoi?

C'est à ce moment-là que le monsieur kiwi a pris la photo de classe.

2/ Ça n'existe pas!

Après les photos, on est retournés à la classe numéro neuf.

J'ai posé ma tête sur la table.

— Les monstres, ça n'existe pas. Les monstres, ça n'existe pas, ai-je chuchoté pour moi toute seule. Parce que mon papa à moi me l'a dit. Et il ne me dirait pas de mensonges... je pense.

Madame m'a dit de me tenir droite sur ma chaise.

Elle nous distribué du travail.

Il fallait écrire des lettres.

Mais ça ne me tentait pas de faire ça.

J'ai tapé sur l'épaule de ma meilleure amie Lucille.

— Tu sais quoi, Lucille? Les monstres, ça n'existe pas. Ça n'existe pas du tout, du tout. Alors, il n'y a pas de monstre qui vit sous mon lit, probablement. Tu es bien d'accord, Lucille?

— Chut, je fais mes lettres, a-t-elle dit.

— Oui, Lucille, je sais que tu fais tes lettres. Sauf que je veux te parler de ce monstre. Parce qu'il n'existe pas. N'est-ce pas?

Lucille n'a pas répondu.

— Pourquoi tu ne dis rien, Lucille? Dis juste que tu es d'accord, d'accord? *Dis juste que les monstres n'existent pas.* Et je vais arrêter de te déranger.

Lucille a poussé un soupir fâché.

— Regarde ce que tu m'as fait faire,

Junie B.! Tu m'a fait rater mon G majuscule! Je t'ai dit de ne pas me déranger!

Elle a pris sa feuille et elle est allée voir Madame en courant.

J'ai tapoté la table avec mes doigts.

Puis je me suis tournée pour regarder derrière moi.

J'ai souri à un garçon qui s'appelle Bébé-lala William.

— Tu sais quoi, William? Les monstres, ça n'existe pas. Alors, il n'y a pas de monstre qui vit sous mon lit, probablement. Tu es d'accord, William?

William a éloigné sa chaise de moi.

Je l'ai suivi avec ma chaise à moi.

— J'ai raison, n'est-ce pas, William? Il n'y a pas de monstre qui vit sous mon lit, hein? Et en plus, il ne met pas ma tête dans sa bouche.

William a fait glisser sa chaise un peu plus loin.

J'ai avancé ma chaise vers lui.

— Dis juste que tu es d'accord, d'accord? Dis juste qu'il n'y a pas de monstre sous mon lit. Et je vais m'en aller.

William a pris sa chaise et l'a traînée jusqu'au milieu de la classe.

C'est pour ça que j'ai dû transporter ma chaise jusqu'au milieu de la classe, moi aussi.

Je me suis assise et je lui ai fait un gentil sourire.

— J'ai raison, William, hein?

Pas de chance. Parce que j'ai senti des mains sur mes épaules.

J'ai levé les yeux.

C'était Madame.

J'ai avalé ma salive.

— Bonjour, comment ça va, aujourd'hui? ai-je dit, un peu nerveuse.

Zoum! Madame a ramené ma chaise devant mon pupitre.

Ce n'était pas amusant.

J'ai pris mon crayon.

— Vous savez quoi? Je vais faire mon

travail, maintenant, ai-je dit. En plus, je ne vais même pas parler. Parce que je n'aime personne, par ici.

Madame a tapoté le plancher avec son pied.

— J'aime bien vos souliers, ai-je dit d'une voix douce.

Son pied a continué de tapoter.

Puis une chose géniale est arrivée. La cloche a sonné pour dire que c'était la fin des classes!

Je me suis dépêchée de sortir.

J'ai couru jusqu'à l'autobus avec mon autre meilleure amie, Grace.

— Grace! Grace! Tu sais quoi? Les monstres, ça n'existe pas. Alors, il n'y a pas de monstre qui vit sous mon lit, probablement. Tu es d'accord, Grace?

Grace n'a *rien* dit.

C'est pour ça que je l'ai attrapée par les

épaules. Et que je l'ai secouée. Parce que je commençais à en avoir assez, moi, de ces enfants!

— Pourquoi tu ne dis rien, Grace? Pourquoi personne ne dit rien? Je vais craquer si ça continue!

Grace a enlevé mes mains de ses épaules.

— Je ne dis rien parce qu'il y a peut-être *vraiment* un monstre sous ton lit, Junie B., a-t-elle dit.

Mes yeux se sont agrandis.

— Non, Grace! Ne dis pas ça! Ne dis pas qu'un monstre vit sous mon lit! Parce que ça ne peut pas être vrai. Sinon, je l'aurais vu!

— Non, a-t-elle répondu. Ma grande sœur dit que les monstres peuvent se *métaformoser* et devenir invisibles quand on les regarde. C'est pour ça que personne ne les voit.

Grace m'a regardée d'un air sérieux.

— Elle pourrait avoir raison, hein, Junie B.? Hein?

Ma gorge est devenue sèche. Et ça tremblait dans mon ventre.

J'ai regardé par la fenêtre, pas contente du tout.

Et je n'ai rien répondu.

3/ Un monstre invisible

J'ai couru dans ma maison en criant :

— MAMIE MILLER! MAMIE MILLER! JE SUIS BIEN CONTENTE D'ÊTRE À LA MAISON! PARCE QUE, AUJOURD'HUI, CE N'ÉTAIT PAS UNE BONNE JOURNÉE À L'ÉCOLE!

Mamie Miller était dans la cuisine. Elle tenait mon petit frère, qui s'appelle Ollie.

Je me suis mise à sauter devant elle.

— PRENDS-MOI! PRENDS-MOI DANS TES BRAS!

— Je ne peux pas, Junie B., a-t-elle dit.

J'ai déjà Ollie dans mes bras.

— Ouais, eh bien, tu n'as qu'à le mettre par terre, ai-je dit. Parce que j'ai besoin d'un câlin, moi, Helen.

Mamie Miller s'est penchée pour me serrer dans ses bras.

Elle m'a dit de ne pas l'appeler Helen.

— Va te changer, a-t-elle dit. Après, nous préparerons du maïs soufflé et tu pourras me raconter ta journée. D'accord?

Tout mon visage est devenu content. Parce que le maïs soufflé, c'est ce que j'aime le plus au monde!

— Youpi! ai-je crié. Du maïs soufflé!

J'ai couru dans ma chambre. J'ai enlevé mes souliers et mes bas. Mes pieds ont fait une petite danse de joie sur le plancher. Ça s'appelle la Danse sautillante du maïs soufflé.

Mes pieds ont sauté en rond. Ils ont

sauté sur mon lit. Ils ont bondi par terre. Ils ont fait une énorme pirouette sur ma carpette.

J'ai tapé des mains, toute joyeuse.

— Mamie! Hé, mamie! Tu sais quoi? Je m'amuse beaucoup! Je ne pense même plus au monstre sous mon lit!

J'ai avalé ma salive.

Parce que je n'aurais pas dû dire ça, je pense.

J'ai regardé mon lit, un peu nerveuse.

Et si le monstre était dessous, en ce moment même?

Et s'il regardait mes petits orteils?

Et s'il voulait les *manger*?

— Oh non, ai-je dit. Oh non. Oh non. Des orteils, ça ressemble à des petites saucisses!

Je suis restée là sans bouger.

— MAMIE MILLER! ai-je crié.

MAMIE MILLER! VIENS VITE! J'AI BESOIN DE TOI!

Mamie Miller est entrée en courant dans ma chambre. Elle m'a prise dans ses bras et m'a serrée très fort.

— Qu'est-ce qu'il y a, pour l'amour du ciel? a-t-elle demandé.

Elle s'est assise sur mon lit avec moi.

— NON, MAMIE! NON, NON! ON NE PEUT PAS S'ASSEOIR ICI!

Je me suis dégagée de ses bras et j'ai couru à la porte.

— IL Y A UN MONSTRE SOUS MON LIT! ai-je crié.

J'ai sauté sur place.

— COURS, HELEN! PRENDS TES JAMBES À TON COU!

Mais mamie Helen Miller n'a pas couru. Elle s'est juste étendue sur ma couverture. Et elle a fermé les yeux.

— Non, Junie B. *S'il te plaît*. Nous n'allons pas recommencer ces histoires de monstres, n'est-ce pas? Nous avons déjà parlé des monstres, tu te souviens? Et nous avons conclu que les monstres, ça n'existait pas.

— Oui, mais j'ai eu de nouvelles informations, ai-je dit. Parce que le monstre sous mon lit devient invisible quand on le regarde. En plus, la nuit, quand mes yeux sont fermés, il se couche à côté de moi. Et il met ma tête dans sa bouche.

Mamie Miller a pris une grande inspiration. Puis elle est allée dans la cuisine. Elle est revenue avec la lampe de poche de papa.

Elle a éclairé sous mon lit.

— Il n'y a pas de monstre, Junie B. Aucun monstre. Je ne vois pas un seul monstre sous ce lit.

— Tu vois? ai-je dit. J'avais raison. Il est devenu invisible.

Mamie Miller a secoué la tête.

— Non, Junie B. Le monstre n'est pas devenu invisible. Le monstre n'est tout simplement *pas là*. Il n'existe pas. Un point, c'est tout.

— Oui, mamie! Il existe! Le grand frère de Paulie Allen Puffer l'a dit. En plus, j'ai vu de la bave!

Mamie m'a dit de calmer ma voix. Elle m'a donné un verre d'eau.

— Pourquoi tu n'oublierais pas ce monstre pour l'instant? a-t-elle demandé. Viens, nous allons faire du maïs soufflé. Tu pourras parler du monstre à ta mère quand elle reviendra. Je parie qu'elle saura exactement quoi faire.

J'ai *fléréchi*.

— Quoi, mamie? Qu'est-ce qu'elle va faire?

Tout à coup, une petite lumière s'est allumée dans ma tête.

— Hé! je sais ce qu'elle va faire! Maman va prendre le balai et défoncer le crâne du monstre. Parce que je l'ai vue faire ça à une coquerelle, une fois! Elle est très bonne pour ça!

Mamie Miller a encore fermé les yeux.

Elle a dit que j'étais bizarre.

4/ La noirceur qui fait peur

Maman est rentrée du travail.

J'ai couru vers elle à toute vitesse. Je lui ai tendu le balai.

— MAMAN! MAMAN! VIENS VITE! VIENS ATTRAPER LE MONSTRE!

Maman a tourné la tête très lentement. Elle a regardé mamie Miller.

Mamie a aspiré ses joues.

— Il y a un monstre, a-t-elle dit d'une voix douce. Sous le lit. Nous t'attendions pour que tu lui défonces le crâne.

J'ai tiré sur le chandail de mamie.

— Parle-lui de la bave, mamie!

Mais mamie s'est dirigée vers la porte. Elle a dit :

— Moi, je m'en vais d'ici!

J'ai tiré sur le bras de maman.

— Viens, maman! Viens vite! Le monstre existe pour de vrai! Parce que Paulie Allen Puffer m'a dit que tout le monde a un monstre sous son lit. En plus, Grace dit que le monstre peut devenir invisible. Alors, c'est pour ça qu'on ne l'a jamais vu avant.

Maman s'est assise à la table de la cuisine. Elle m'a fait asseoir sur ses genoux.

Elle m'a dit que Paulie Allen Puffer voulait seulement me faire peur. Et que Grace racontait n'importe quoi.

— Il n'y a pas de monstre sous ton lit, ma Junie B. Je te le jure. Les monstres n'existent pas.

— Oui, ils existent! Ils sont vrais! Parce que le frère de Paulie Allen Puffer l'a dit! Et il est en 7e année! Il a dit que les monstres montent sur le lit et mettent notre tête dans leur bouche! Alors, c'est de là que vient la bave. Parce que je ne suis même pas un bébé!

J'ai entendu la porte s'ouvrir.

C'était mon papa. Il était revenu du travail, lui aussi!

— Papa! Papa! Il y a un monstre sous mon lit! Tu m'avais dit que les monstres n'existaient pas. Mais ce n'est pas vrai!

J'ai tiré son bras.

— Viens, papa! Viens l'attraper!

Papa a regardé maman très longtemps.

Ils sont allés dans le couloir pour chuchoter.

Papa est revenu me voir.

Il a dit qu'on chercherait le monstre après le souper. Mais d'abord, on allait faire cuire des hamburgers sur le barbecue.

— Super! ai-je dit. Les hamburgers, c'est ce que j'aime le plus au monde! J'aime aussi le *pasketti* aux boulettes de viande.

Après, papa et moi, on est allés dehors.

Papa a sorti une spatule pour retourner les hamburgers. Il m'en a donné une à moi aussi. Parce que je suis assez grande, c'est pour ça.

J'ai couru dans le jardin avec la spatule.

Je m'en suis servie pour retourner un caillou, une fleur et une motte de terre. J'ai aussi retourné un lézard mort que j'ai trouvé dans l'allée.

Puis maman m'a enlevé ma spatule. Parce que je ne suis pas assez grande, c'est pour ça.

Après le souper, j'ai pris un bain.

Maman et papa m'ont lu une histoire. Puis ils m'ont fait un câlin.

— Bonne nuit, a dit maman.

— Bonne nuit, a dit papa.

Je me suis assise dans mon lit.

— Ouais, sauf que je ne peux pas dormir ici. Parce que vous n'avez pas défoncé le crâne du monstre.

Papa a frotté ses yeux fatigués.

— Il n'y a pas de monstre, Junie B. Il n'y a *rien du tout* sous ton lit.

Il m'a donné un bisou, puis il est sorti de ma chambre. Maman est sortie aussi.

Je me suis levée et je les ai suivis.

Ils se sont retournés et m'ont vue.

— Bonjour, comment ça va? leur ai-je demandé poliment. Je vais juste m'asseoir dans la cuisine sans vous déranger. Et je vais peut-être regarder les nouvelles à la télé.

Maman m'a ramenée dans mon lit.

Je l'ai encore suivie quand elle est sortie de ma chambre.

— Veux-tu faire une tarte au citron? Ce serait amusant, non? lui ai-je demandé.

Cette fois, maman m'a ramenée à ma chambre rapido presto.

— Ne te relève pas, Junie B., a-t-elle dit. Ça suffit!

J'ai attendu que ses pieds s'en aillent.

Puis j'ai marché sur la pointe de mes orteils jusqu'à la chambre de mon petit frère. J'ai grimpé dans son lit de bébé.

Il n'y a pas beaucoup de place, là-dedans.

C'est pour ça que j'ai dû ressortir et mettre bébé Ollie sur le plancher. Après, je suis remontée dans son lit. Je me suis glissée sous sa couverture toute chaude et confortable.

Ce n'était pas une bonne idée, parce que ce bébé-lala s'est mis à crier.

Papa est arrivé en courant dans la chambre.

Il a allumé la lumière et m'a vue.

J'ai avalé ma salive.

— Bonjour, est-ce que tu vas bien? ai-je demandé, un peu nerveuse. Je suis bien au chaud ici.

Papa m'a vite sortie du lit.

Il a recouché Ollie dedans.

Et il m'a ramenée dans ma chambre.

— Bon. C'est assez, a-t-il dit d'une voix fâchée. C'est la *dernière* fois que tu te lèves. Compris, mademoiselle? Ne te relève pas une *seule* autre fois de ton lit!

J'ai commencé à pleurer un petit peu.

— Ouais, mais le monstre, lui? ai-je dit. Il est toujours sous le lit, je pense.

Papa a levé les bras en l'air. Il a rallumé la lumière. Il a cherché le monstre partout. D'abord, il a regardé sous le lit. Puis il

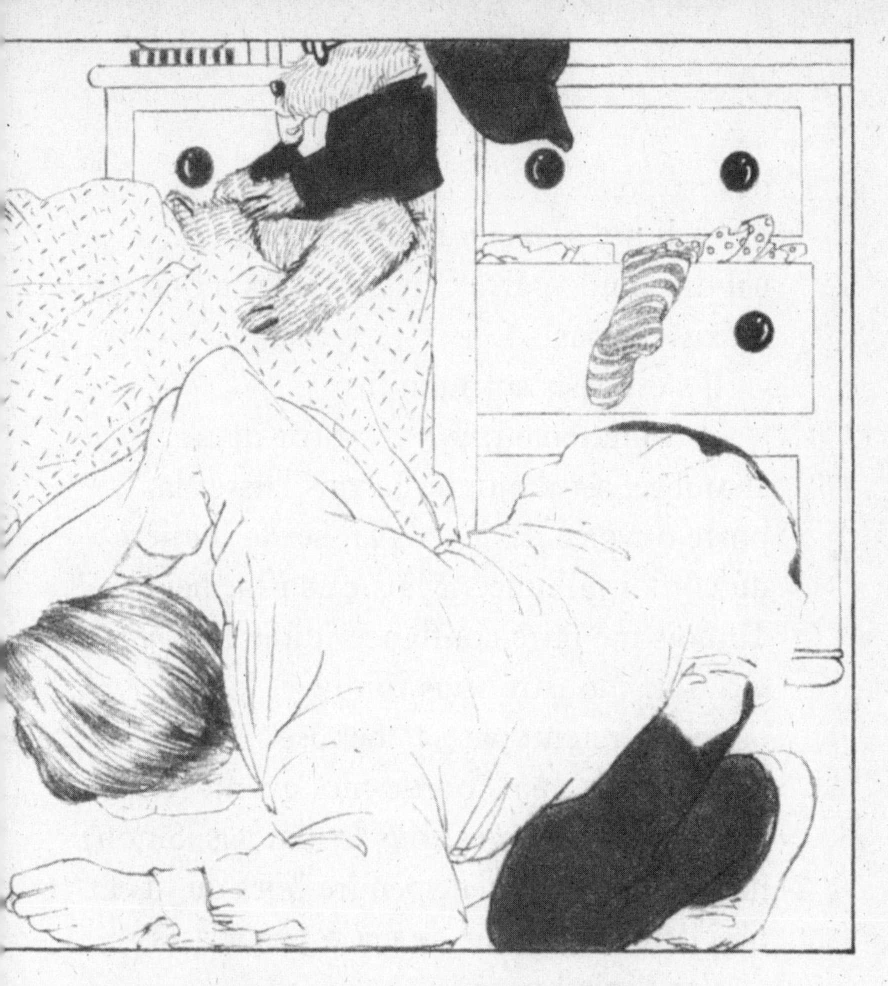

a regardé dans le placard. Dans mes tiroirs. Dans ma corbeille à papier. Il a même regardé dans ma boîte de crayons de cire.

— Il n'y a *aucun* monstre, Junie B., a-t-il dit. Nulle part. Crois-moi, les monstres n'existent pas!

Il s'est assis sur mon lit.

— Maintenant, je vais sortir de ta chambre, a-t-il ajouté. Je vais laisser la porte ouverte. Et je vais laisser la lumière du couloir allumée. Mais ça suffit, hein? Tu dois me faire confiance, Junie B. Il *n'y a pas* de monstre sous ton lit.

Je l'ai retenu par sa chemise.

— Ouais, mais borde-moi avant. Rentre bien les couvertures sous le matelas. Sinon, mes pieds pourraient pendre hors du lit. Et mes orteils ont l'air de petites saucisses.

Papa m'a bordée.

— Voilà! Maintenant, bonne nuit!

— Ouais, mais donne-moi aussi mon

nounours. D'accord, papa? Et aussi ma poupée qui s'appelle Ruth. Et ma poupée qui s'appelle Larry. Et mon éléphant qui s'appelle Philip Johnny Bob.

Papa m'a donné tous mes amis. Il les a bordés.

— Voilà. Bon, ça suffit. Bonne nuit.

Il est sorti de ma chambre. Et il a continué à marcher dans le couloir.

J'ai regardé autour de moi dans la noirceur. Ça faisait peur.

— PHILIP JOHNNY BOB VEUT UN VERRE D'EAU! ai-je crié très, très fort.

J'ai attendu. Et attendu.

— OUAIS, IL EN A VRAIMENT, VRAIMENT BESOIN! PARCE QU'IL A UN PROBLÈME AVEC SA TROMPE!

Papa n'est pas venu.

— RUTH VEUT UN MOUCHOIR! ai-je crié ensuite.

Après, ma voix est devenue moins forte.

— Larry veut un biscuit, ai-je dit.

Mais papa n'est pas venu.

5/ La pire nuit de ma vie

C'était la pire nuit de ma vie.

Je n'ai fermé ni l'un ni l'autre de mes yeux.

C'est parce que je devais les garder ouverts. Sinon, le monstre ne resterait pas invisible.

J'ai entendu papa et maman aller se coucher.

— BONNE NUIT, TOUT LE MONDE! BONNE NUIT! C'EST MOI! JUNIE B. JONES! JE SUIS TOUJOURS ÉVEILLÉE! PARCE QUE JE NE PEUX

PAS FERMER MES YEUX, SINON LE MONSTRE VA VENIR!

Papa et maman n'ont pas répondu.

— EN PLUS, JE VOULAIS VOUS DIRE AUTRE CHOSE! N'ÉTEIGNEZ PAS LA LUMIÈRE DU COULOIR! ET NE FERMEZ PAS MA PORTE!

— Dors! a grogné maman.

J'ai souri, soulagée.

— Ça fait du bien d'entendre ta voix, ai-je dit doucement.

Après, maman et papa se sont couchés. Et ils ont éteint leur lumière.

Papa a commencé à ronfler.

— Oh, non! ai-je dit. Maintenant, il ne sera même pas réveillé pour me sauver si le monstre vient.

J'ai sorti Philip Johnny Bob de mes couvertures.

— *Je vais te sauver,* a-t-il dit. *Je vais*

lancer de l'eau à la figure du monstre. En plus, je vais l'écraser avec mes pattes d'éléphant géantes. Alors, tu peux fermer tes yeux. Tu n'as pas besoin de t'inquiéter.

Je l'ai regardé un long moment.

— Ouais, mais il y a un problème, ai-je dit. Tu n'es pas vraiment fort, parce que tu es rempli de peluche. En plus, tu ne peux même pas lancer d'eau avec ta trompe. Alors, ça ne sert à rien de me raconter des histoires.

Philip Johnny Bob m'a regardée très longtemps.

Puis il est retourné sous les couvertures.

Soudain, j'ai entendu des pas dans le couloir.

C'était des pas de monstre, je pense!

Ils s'approchaient de plus en plus!

Puis ils ont couru dans ma chambre!

Et vous savez quoi?

C'était mon chien, Tickle!

— Tickle! Tickle! Je suis contente de te voir! Parce que maintenant, tu vas me protéger du monstre! Pourquoi je n'y ai pas pensé avant?

J'ai écarté les couvertures et tapoté le lit pour le faire monter.

— Viens, Tickle! Tu peux dormir sur mon oreiller. Parce que maman ne le saura même pas!

Tickle a sauté sur mon lit. Il a tourné en rond.

Il a mis sa tête sous les couvertures et a couru jusqu'à mes pieds.

— Non, Tickle! Non! Sors de là! Sinon, tu ne pourras pas me protéger!

Je l'ai sorti des couvertures.

Il a mis ses pattes sur ma poupée Larry. Il a mâchonné ses cheveux roux.

— Non, Tickle! Ne fais pas ça!

Tickle a sauté par-dessus moi. Il a atterri sur mon éléphant qui s'appelle Philip Johnny Bob.

Il l'a pris par la trompe et l'a secoué.

J'ai sauvé Philip Johnny Bob juste à temps.

Puis j'ai poussé Tickle hors du lit. Il est sorti de ma chambre en courant.

Philip Johnny Bob était très énervé.

J'ai flatté sa trompe.

Et j'ai serré ma poupée Larry dans mes bras.

Mais au même moment, ma poupée Ruth est tombée du lit. Parce que ces idiotes de couvertures étaient toutes défaites.

Ma poupée Larry et moi, on s'est penchées pour regarder ma poupée Ruth.

— *Ramasse-la,* a dit ma poupée Larry.

— Ouais, sauf que je ne peux pas, ai-je

dit, pas contente du tout. Le monstre pourrait attraper ma main et me tirer sous le lit.

J'ai *fléréchi* à ce que j'allais faire.

Tout d'un coup, j'ai pris tous mes amis dans mes bras.

— Il faut qu'on se sauve, leur ai-je dit. On va aller dormir avec papa et maman. Parce qu'on va être en sécurité avec eux. En plus, ils ne sauront même pas qu'on est là. Ils ont un très, très grand lit.

Je me suis mise debout au bord de mon lit. Puis j'ai sauté très loin, au milieu du plancher. J'ai vite ramassé ma poupée Ruth.

J'ai couru jusqu'à la chambre de papa et maman.

Ils dormaient et ronflaient.

— Chut! ai-je dit à ma poupée Larry.

— Chut! ai-je dit à Philip Johnny Bob.

On a rampé jusqu'au milieu du lit. On s'est glissés sous les couvertures.

Mais pas de chance.

Parce que maman s'est tournée et a écrasé la trompe de Philip Johnny Bob. Ça l'a réveillée.

Elle a allumé la lumière.

J'ai avalé ma salive.

— Bonjour, comment ça va, aujourd'hui? Mes amis et moi, on va dormir ici. Parce qu'on s'est dit que ça ne te dérangerait pas, probablement.

Maman m'a ramenée rapido presto dans ma chambre.

Elle s'est penchée très près de mon oreille et elle a parlé d'une voix qui faisait peur, avec les dents fermées.

— Ne... te... relève... plus... de... ton... lit, a-t-elle dit.

Alors, vous savez quoi?
Je ne me suis pas relevée.

6/ Raplapla

Le lendemain, à l'école, j'étais épuisée et fatiguée.

J'ai ouvert un de mes yeux avec mes doigts. Puis j'ai fait un dessin en arts plastiques.

Mon dessin n'était pas très beau.

Après, j'ai tenu ma tête avec mes mains et j'ai attendu que l'école finisse.

Puis j'ai pris l'autobus avec Grace.

Je n'arrêtais pas de bâiller.

— Zut, Grace! Tu n'aurais jamais dû me dire que les monstres devenaient invisibles. Parce que maintenant, je ne peux même plus fermer mes yeux pendant la nuit.

— Moi, je peux, a dit Grace. Parce que je n'ai plus de monstre sous mon lit. Maman a trouvé un moyen de le faire sortir.

J'ai ouvert mes yeux très grands.

— Comment, Grace? Comment elle a fait?

— C'est facile, a dit Grace. D'abord, elle l'a aspiré avec l'aspirateur. Après, elle a mis le sac de l'aspirateur dans le compacteur de déchets et elle a écrasé le monstre, tout *raplapla*.

En entendant ça, j'ai serré mon amie Grace dans mes bras! Parce que c'était une idée géniale!

— Merci, Grace, merci! Moi aussi, j'ai un aspirateur dans ma maison! Alors, je vais pouvoir faire la même chose, probablement!

En sortant de l'autobus, j'ai couru chez moi rapido presto.

— MAMIE MILLER! MAMIE MILLER! JE SAIS COMMENT ME DÉBARRASSER DU MONSTRE! ai-je crié.

J'ai couru chercher l'aspirateur de maman dans le placard. J'ai tiré cette grosse machine jusqu'à ma chambre.

Mamie Miller est arrivée.

Je lui ai expliqué comment faire pour se débarrasser du monstre. Et vous savez quoi? Elle a bien voulu m'aider.

D'abord, elle a branché l'aspirateur. Puis elle l'a mis sous mon lit. Et elle a aspiré le monstre!

— YOUPI! YOUPI! TU L'AS ATTRAPÉ! TU AS ASPIRÉ LE

MONSTRE, MAMIE! ai-je crié, car j'étais très excitée.

Mamie Miller s'est dépêchée d'aller à la cuisine avec le sac. Elle l'a jeté dans la poubelle.

— Voilà! Ça devrait régler le problème! a-t-elle dit, toute contente.

J'ai regardé la poubelle. J'ai froncé un peu mes sourcils.

— Ouais, sauf qu'il y a encore un problème, mamie. Tu n'as pas mis le sac dans le compacteur de déchets. C'est comme ça que le monstre devient tout raplapla.

Mamie Miller a souri.

— Peut-être, sauf qu'il n'y a pas de compacteur dans cette maison, Junie B., a-t-elle dit. Ton monstre va simplement rester dans le sac de l'aspirateur.

J'ai froncé encore plus mes sourcils.

— Ouais, mais s'il s'échappait, mamie? Peut-être qu'il pourrait flotter dans les airs. Et revenir jusqu'à ma chambre. Et retourner sous mon lit.

Mamie Miller a tapoté le comptoir avec ses doigts. Ses joues se sont remplies d'air. Puis elle a laissé sortir l'air très lentement.

— Bon, et si je sortais le sac dehors? Je vais le mettre au fond de la grosse poubelle et je vais bien fermer le couvercle. Comme ça, il ne pourra pas sortir.

— Ouais, mais il ne sera pas raplapla, ai-je dit d'un ton pleurnicheur.

Mamie a commencé à s'énerver. Elle a pris le sac de l'aspirateur et est sortie dehors.

Elle a mis le sac par terre dans l'allée.

Elle est montée dans sa voiture et elle a reculé en écrasant le sac avec les roues de la voiture.

Puis elle est rentrée dans la maison.

Elle s'est frotté les mains.

— Voilà! *Maintenant,* il est raplapla! a-t-elle grogné.

Quand elle est partie, je suis montée sur le canapé. J'ai regardé l'allée, un peu nerveuse.

Vous savez pourquoi?

Parce qu'une voiture, ce n'est pas un compacteur de déchets. Voilà pourquoi.

7/ Grognements et reniflements

Ce soir-là, j'ai entendu des grognements sous mon lit.

Maman a dit que c'était mon *magination.*

— Non, ce n'est pas mon *magination*! ai-je dit. J'entends des grognements. En plus, j'entends aussi des reniflements.

Maman a levé les yeux vers le plafond.

— Franchement, Junie B., où vas-tu chercher tout ça? a-t-elle demandé.

J'ai *fléréchi.*

— Ça vient tout seul dans ma tête, ai-je répondu. C'est un don, je pense.

Après, j'ai supplié maman de me laisser dormir dans son lit.

Maman a dit non.

Papa aussi a dit non.

— Tu dois nous faire confiance, Junie B., a-t-il dit. Nous ne te mettrions jamais en danger. Il n'y a rien à craindre dans ta chambre.

C'est pour ça que j'ai dû dormir dans mon lit. Pour toute la nuit au complet.

En plus, il a fallu que je dorme dans mon lit la nuit d'après. Et la nuit d'après. Et encore la nuit d'après aussi.

Et c'est cette nuit-là que la pire chose est arrivée.

Parce que, par accident, j'ai dormi trop longtemps.

Le monstre a dû monter sur mon lit. Parce que, le matin, il y avait de la bave sur mon oreiller!

J'ai crié très fort quand j'ai touché la bave.

— AU SECOURS! AU SECOURS! IL Y A DE LA BAVE! JE VOUS L'AVAIS DIT! JE LE SAVAIS QUE LE MONSTRE VIENDRAIT!

J'ai couru dans la chambre de papa et maman et je leur ai montré mon oreiller.

Maman a mis sa tête entre ses mains.

— Quand est-ce que ça va finir? a-t-elle demandé. Quand vas-tu enfin comprendre que les monstres n'existent pas?

Elle n'a pas attendu que je réponde.

— Ça arrive à *tout le monde* de baver sur son oreiller, a-t-elle dit. Ça ne veut pas dire que tu es un bébé. Ta bouche s'ouvre pendant que tu dors. Et il y a un peu de salive qui sort. C'est tout. Ce n'est pas grave. Et ça ne vient pas d'un monstre.

Après, elle est allée dans la cuisine. Papa est allé chercher Ollie.

Moi, je suis montée dans leur lit et j'ai compté mes orteils.

Bonne nouvelle.

Il y en avait 10.

Ce jour-là, à l'école, Madame avait une surprise pour nous.

Nos photos étaient revenues de chez le monsieur kiwi.

Elle nous les a données.

Lucille a eu les siennes en premier.

Mes yeux sont sortis de ma tête en voyant ses photos.

— Lucille! Regarde comme elles sont belles! Ce sont les *plus meilleures* photos que j'aie jamais vues!

Lucille a fait gonfler sa robe gonflante.

— Je le sais. Je sais qu'elles sont belles. Mais je suis comme ça, Junie B. Je ne fais pas exprès.

Après, Lucille s'est levée et a montré ses photos à tout le monde.

Madame lui a dit de s'asseoir.

Puis Madame s'est penchée vers moi. Elle a caressé mes cheveux.

— Junie B., ma chérie, il va peut-être falloir que tu fasses prendre d'autres photos, a-t-elle dit tout bas.

Elle m'a donné mon enveloppe en secret. Pour que personne ne puisse voir.

J'ai jeté un coup d'œil à mes photos.

J'avais un peu mal au ventre.

— On dirait que je respire quelque

chose qui pue, ai-je dit.

J'ai voulu cacher mes photos, mais Lucille me les a enlevées.

— Beurk! Dégueu! a-t-elle dit. Junie B. a l'air dégueu!

J'ai essayé de les reprendre.

— OUAIS, SAUF QUE CE N'EST MÊME PAS DE TES AFFAIRES, MADAME! ai-je crié, très fâchée.

Mais pas de chance. Parce que beaucoup d'autres enfants les avaient déjà vues. Et ils riaient tous de mes photos.

Finalement, je les ai reprises et je les ai cachées dans mon manteau.

Je n'ai parlé à personne de la classe numéro neuf pendant tout le reste de la journée.

8/ Face de monstre

Quand je suis rentrée à la maison, je me suis assise sur mon lit. J'ai regardé mes photos.

— Je déteste ces horribles photos idiotes! ai-je dit, très furieuse. Ce sont les plus laides photos que j'aie jamais vues!

Je me suis penchée et j'ai tenu une photo sous le lit.

— Tu vois ça? Tu vois ça, horrible monstre? Cette photo est aussi horrible que toi! Alors, peut-être que je vais mettre ma face de monstre sous mon lit! Et que ça te fera trembler dans tes culottes!

Puis je me suis assise toute droite. Parce que c'était une très bonne idée que je venais d'avoir!

J'ai vite pris mes ciseaux. J'ai découpé toutes mes photos d'école et les ai mises sous mon lit.

— Je n'ai même pas peur de toi, vilain monstre! Parce que ces horribles photos vont te dévorer la tête!

Tout à coup, j'ai entendu maman qui rentrait du travail.

— Maman! Maman! Mes photos sont arrivées! ai-je crié, très excitée.

Elle est vite venue dans ma chambre.

J'ai montré mon lit du doigt.

— Tu vois, maman? Tu vois mes photos? Je les ai étalées sous mon lit.

Maman m'a regardée d'un air curieux.

Elle s'est penchée et a ramassé une photo.

Sa bouche s'est ouverte.

— Aïe! aïe! aïe! a-t-elle chuchoté.

J'ai tapé des mains.

— Je sais qu'elles sont *aïe! aïe! aïe!* C'est pour ça que je les ai mises sous le lit. Tu comprends, maman? Maintenant, ma face de monstre va être là tout le temps. Je parie que le monstre a déjà eu peur et qu'il est parti!

Maman a éclaté de rire.

J'ai ri, moi aussi.

Il y a une autre bonne nouvelle. Il y avait encore de la bave sur mon oreiller, ce matin.

Sauf que ça ne m'inquiète pas.

Parce que ça vient de ma poupée Ruth,

je pense. Ou peut-être, de Philip Johnny Bob. Ou peut-être même de moi.

Mais ça ne veut pas dire que je suis un bébé.

Parce que *tout le monde* bave sur son oreiller de temps en temps.

Ma maman à moi me l'a dit.

Et elle ne me dirait pas de mensonges... je pense.

Mot de Barbara Park

Je ne me rappelle pas à quel âge j'ai commencé à croire qu'il y avait quelque chose de terrifiant sous mon lit. Je ne savais pas ce que c'était *au juste*, mais j'étais convaincue que si je m'approchais trop, une espèce de main sortirait pour m'attraper la cheville.

C'est pourquoi je me suis exercée à sauter dans mon lit de tous les coins de ma chambre. D'abord, je prenais mon élan. Puis je sautais d'un bond, m'envolais dans les airs et atterrissais au milieu de mon matelas, en toute sécurité.

Bien sûr, c'est embarrassant d'admettre une crainte aussi ridicule aujourd'hui. Je ne me souviens même plus de la dernière fois où j'ai sauté comme ça sur mon lit.

Non. *Vraiment*, je ne m'en souviens plus. (Bon, d'accord. C'était samedi dernier. Mais si vous le répétez à qui que ce soit, je vais tout nier.)